세종
한국어

—— 더하기 활동 ——

1B

문화체육관광부
국립국어원

발간사

최근 전 세계인이 접하는 한류 콘텐츠의 규모가 늘어나면서 한류 문화가 확산되고 있고, 그 결과로 한국어를 배우고자 하는 외국인 학습자의 기세가 매우 놀랍습니다. 세계 곳곳이 코로나19로 침체기를 겪던 2021년에도 한국어능력시험 응시자는 30만 명을 훌쩍 넘었으며, 문화체육관광부의 세종학당은 2007년 13곳에서 2022년에는 84개국 244개소로 증가하였습니다. 이러한 한류의 지속적인 확산을 뒷받침하기 위해서는 한국어교육의 탄탄한 지원이 필요합니다.

한류 콘텐츠와 함께 성장하는 한국어교육의 토대를 다지기 위해, 문화체육관광부와 국립국어원은 2011년 처음 발간된 《세종한국어》를 새로 다듬기로 하였습니다. 2019년부터 기초 연구를 시작한 교재 개정 작업은 3년의 시간을 들여, 2022년 드디어 새로운 《세종한국어》를 펴내게 되었고, 이를 세종학당재단과 함께 알리게 되었습니다.

새롭게 개정된 《세종한국어》는 첫째, 세종학당 곳곳에서 한국어를 배우고자 하는 열의로 가득 찬 외국인 학습자 중심의 교재를 지향하였습니다. 둘째, 현지 세종학당의 학습 환경에 따라 유연하게 활용할 수 있는 맞춤형 교재로 정비되었습니다. 셋째, 한류 콘텐츠에 대한 외국인들의 관심을 내용에 반영함으로써, 한국어 공부에 대한 학습자의 부담을 낮췄습니다. 마지막으로 세종학당을 대표하는 표준 교재로서 구심점 역할을 담당하고, 이후의 한국어 학습을 위한 연계성도 잘 갖추었습니다.

세종학당은 한국어와 한국 문화로 한국과 세계를 연결하는 대한민국 대표의 국외 한국어교육 기관입니다. 국립국어원과 문화체육관광부는 앞으로도 세종학당재단과 협력하여 전 세계에서 한국어를 사랑하는 이들이 꿈을 이룰 수 있도록 지속적인 노력과 지원을 아끼지 않겠습니다.

끝으로 교재 개발을 위해 최선의 노력을 기울여 주신 연구·집필진과 출판사 관계자분들께 진심으로 감사의 말씀을 드립니다. 《세종한국어》의 새로운 출발과 함께 문화체육관광부와 국립국어원, 세종학당재단이 세계로 더 나아갈 수 있도록 여러분의 따뜻한 관심 부탁드립니다.

2022년 8월
국립국어원장 장소원

세종학당은 한국과 전 세계를 연결하는 한국어·한국 문화 보급 기관입니다. 이번에 개발한 교재는 상호 문화주의에 기반하여 한국어 학습에 대한 학습자의 흥미를 증진함으로써 한국어 의사소통 능력을 향상시키는 것을 목표로 하였습니다. 이를 위해 최근 한국의 상황을 적극적으로 반영하였고 최신 교수법을 구현할 수 있는 새로운 구성과 디자인을 적용하였습니다. 이를 통해 국외 한국어교육의 방향성을 새롭게 제시하고자 하였습니다. 개정《세종한국어》의 구체적 특징은 다음과 같습니다.

첫째, 세종학당의 표준 교육과정인 가형, 나형, 다형 전 과정에 탄력적으로 활용할 수 있도록 '기본 교재'와 '더하기 활동 교재'로 구분하였습니다. '기본 교재'에는 해당 등급에 필요한 핵심적인 내용을 담았으며, '더하기 활동 교재'에는 심화·확장이 필요한 언어 지식과 의사소통 활동을 담았습니다. 이를 통해 다양한 학습자 특성에 맞게 교재를 선택하여 사용할 수 있도록 하였습니다.

둘째, 효과적 교수·학습을 위해 단계별로 단원 구성을 차별화하였으며 학습 내용 또한 언어 발달 단계에 맞는 교수 학습 내용과 절차를 적용하였습니다. 특히 다양한 삽화와 시각적 자료를 적극적으로 제시하여 한국어 학습의 흥미를 극대화할 수 있도록 노력하였습니다.

셋째, 교재 전반에 생생한 한국 문화 내용을 배치하여 학습자들이 상호 문화적 관점에서 한국 문화를 이해하고, 궁극적으로는 자국의 문화와 한국 문화에 대한 바른 태도를 형성할 수 있도록 하였습니다.

넷째, 교재와 함께 '익힘책', '교사용 지도서', '어휘·표현과 문법', 수업용 PPT와 같은 보조 자료들을 개발하여 교사·학습자의 요구에 맞게 교재를 활용할 수 있도록 하였습니다.

이 교재를 기획하고 개발하는 모든 과정에 함께해 주신 국립국어원과 현지 학당과의 협조와 지원을 아끼지 않으신 세종학당재단, 그리고 학습자들이 재미있게 한국어를 배울 수 있도록 멋지게 디자인해 주신 공앤박출판사에 감사의 마음을 전하고 싶습니다. 끝으로 3년이라는 긴 시간 동안 오로지 한국어교육에 대한 열정으로 좋은 교재를 만들어 내기 위해 애써 주신 모든 집필진께 말로는 다할 수 없는 깊은 감사의 마음을 전합니다.

2022년 8월
저자 대표 이정희

차례

음식

1. 한국 음식 이름을 찾아 써 보세요. 우리 반에서 누가 제일 빨리 찾았어요?

불	나	면	장	미	국	면	김
밥	고	나	음	식	보	된	치
냉	로	기	면	비	빔	밥	찌
잡	소	문	집	한	음	아	개
채	라	선	떡	라	콜	이	우
동	비	김	볶	초	과	크	딸
카	밥	후	이	계	유	냉	라
갈	스	탕	장	림	일	스	면

1)   불고기   2) ....

3) ....   4) ....

5) ....   6) ....

7) ....   8) ....

2. 다음과 같이 친구와 이야기해 보세요.

잡채를 좋아해요?

네. 잡채를 좋아해요.

1) .... 을 / 를 좋아해요?

나 : ....

친구 : ....

2) 어제 뭘 먹었어요?

나 : ....

친구 : ....

3) 저녁에 뭘 먹고 싶어요?

나 : ....

친구 : ....

무슨 | 못

1. 그림을 보고 친구와 이야기해 보세요.

안나 씨는 무슨 영화를 자주 봐요?

저는 한국 영화를 자주 봐요.

1)

라면을 먹다

2)

청바지를 입다

3)

꽃을 그리다

4)

수영을 하다

2. 무엇을 못 해요? 친구와 이야기해 보세요.

1)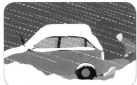

컴퓨터가 없어요.

• 이메일을 못 보내요.

• _____

2)

핸드폰이 없어요.

• _____

• _____

3)

눈이 많이 왔어요.

• _____

• _____

4)

머리가 아파요.

• _____

• _____

새 어휘 | 청바지 / 입다 / 그림 / 그리다 / 머리 / 아프다

좋아하는 음식

1. 마리 씨와 주노 씨가 좋아하는 음식을 이야기해요. 다음을 잘 듣고 질문에 답하세요.

1) 마리 씨는 무슨 음식을 좋아해요? <u>모두</u> 고르세요.

①    ②    ③

2) 주노 씨는 어디에서 자주 점심을 먹어요?

① 집   ② 학교   ③ 친구 집   ④ 한국 식당

2. 우리 반 친구들은 무엇을 제일 좋아해요? 친구와 이야기해 보세요.

〈우리 반 친구들이 좋아하는 것〉

음식	운동	?
불고기, 잡채, 김밥, 떡볶이, 햄버거, 라면	축구, 농구, 야구, 수영, 달리기, 요가, 등산	

1) 음식: 우리 반 친구들은 _____ 을/를 제일 좋아해요.

2) 운동: 우리 반 친구들은 _____ 을/를 제일 좋아해요.

3) _____ : 우리 반 친구들은 _____ 을/를 제일 좋아해요.

새 어휘 | 제일 / 야구 / 달리기 / 요가

한국의 식사 문화

---

1. 다음 글을 읽고 질문에 답하세요.

> 한국 사람들은 밥, 국, 그리고 반찬을 함께 먹습니다. 숟가락과 젓가락을 모두 사용합니다. 밥은 왼쪽에 놓고, 국은 오른쪽에 놓습니다. 그리고 반찬은 밥과 국 앞에 놓습니다.

1) 한국 사람들은 밥과 무엇을 함께 먹어요?

2) 밥과 국은 어디에 놓아요?

3) 반찬은 어디에 놓아요?

---

2. 여러분 나라의 식사 문화를 소개하는 글을 써 보세요.

새 어휘 | 국 / 반찬 / 함께 / 숟가락 / 젓가락 / 사용하다 / 놓다

취미 활동

1. 무엇을 해요? 알맞은 것을 연결해 보세요.

1)
2)
3)
4)
5)

춤을 춰요　　그림을 그려요　　자전거를 타요　　낚시를 해요　　음악을 들어요

2. 다음과 같이 친구와 이야기해 보세요.

주말에 보통 뭐 해요?

저는 주말에 보통 드라마를 봐요.

1) 어제 뭐 했어요?

나 : ....

친구 : ....

2) 주말에 뭐 했어요?

나 : ....

친구 : ....

3) 운동을 좋아해요?

나 : ....

친구 : ....

4) 음악을 자주 들어요?

나 : ....

친구 : ....

-(으)러 가다 | 도

1. 그림을 보고 친구와 이야기해 보세요.

어디에 가요?

친구하고 낚시를 하러 가요.

1)

2)

3)

4)

2. 그림을 보고 대화를 완성해 보세요.

유진 안나 수지 마리

공원에 누가 있어요?

마리 씨가 있어요.
안나 씨도 있어요.

1) 가 : 공원에 뭐가 있어요?

　　나 : _____ 있어요.

　　　　 _____ 있어요.

2) 가 : 공원에 뭐가 많아요?

　　나 : _____ 많아요.

　　　　 _____ 많아요.

3) 가 : 공원에서 누가 자전거를 타요?

　　나 : _____ 자전거를 타요.

　　　　 _____ 자전거를 타요.

4) 가 : 마리 씨는 뭘 먹어요?

　　나 : 마리 씨는 _____ 먹어요.

　　　　 _____ 마셔요.

나의 취미

1. 유진 씨와 안나 씨가 취미에 대해 이야기해요. 다음을 잘 듣고 질문에 답하세요.

 1) 안나 씨는 무슨 음악을 좋아해요? .... 를 자주 들어요.

 2) 유진 씨는 주말에 보통 무엇을 해요?

 ①  ②  ③

2. 주말에 보통 무엇을 해요? 다음과 같이 친구와 이야기해 보세요.

> 유진 씨는 주말에 보통 뭘 해요?

> 저는 게임을 좋아해요. 그래서 주말에 게임을 자주 해요.

> 어디에서 게임을 해요?

> 게임을 하러 PC방에 가요.

	이름	어디에 가요?	뭘 해요?
1)	유진	PC방	게임을 해요.
2)	나		
3)	친구		

새 어휘 | PC방

취미 생활

1. 다음 글을 읽고 질문에 답하세요.

같이 축구할까요?

- 요일 : 매주 일요일
- 시간 : 아침 8시 ~ 10시
- 장소 : 세종운동장
- 활동 : 같이 축구를 해요.

1) 무엇을 해요?

2) 언제 만나요?

3) 어디에서 만나요?

---

2. 여러분은 사람들과 무슨 취미 활동을 함께 하고 싶어요? 안내문을 써 보세요.

_____

- 날짜 :

- 시간 :

- 장소 :

- 활동 :

> ⊕ **더 알아봐요**
> - 다양한 취미 활동을 생각해 보세요.
> - 취미 활동에 대한 안내문을 써서 교실 벽에 붙이세요.
> - 참여하고 싶은 안내문에 자신의 이름을 써 보세요.
> - 친구들이 가장 많이 참여하고 싶어 하는 활동이 무엇인지 찾아보세요.

새 어휘 | 매주

옷차림

1. 무엇을 입었어요? 알맞은 것을 <u>모두</u> 연결해 보세요.

1)  2)  3)  4)

정장   치마   운동복   청바지   티셔츠

2. 오늘 우리 반 친구들은 무엇을 입었어요? 무엇을 신었어요? 다음과 같이 친구와 이야기해 보세요.

안나 씨는 뭘 입었어요?

티셔츠하고 청바지를 입었어요.

안나 씨는 뭘 신었어요?   운동화를 신었어요.

	안나	친구 1	친구 2	친구 3
입다	티셔츠, 청바지			
신다	운동화			
쓰다	×			
매다	×			

-아서/어서 | -(으)ㄹ 거예요

1. 그림을 보고 대화를 완성해 보세요.

어디에 가요?

배가 아파서 병원에 가요.

1)

가 : 왜 한국어를 공부해요?

나 : _____

한국어를 공부해요.

2)

가 : 이 식당에 자주 와요?

나 : 네. _____ 자주 와요.

3)

가 : 오늘 운동을 했어요?

나 : 아니요. _____ 운동을 못 했어요.

4)

가 : 요즘 많이 바빠요?

나 : 네. _____ 좀 바빠요.

2. 그림을 보고 친구와 이야기해 보세요.

주말에 뭐 할 거예요?

집에서 책을 읽을 거예요.

1)

2)

3)

4)

?

새 어휘 | 배

마리 씨와 주노 씨의 쇼핑 계획

1. 마리 씨와 주노 씨가 쇼핑 계획을 이야기해요. 다음을 잘 듣고 질문에 답하세요.

01

1) 마리 씨와 주노 씨는 주말에 어디에 갈 거예요?

① 　　② 　　③

2) 주노 씨는 무엇을 살 거예요?

① 　　② 　　③

2. 여러분은 무엇을 할 거예요? 다음과 같이 친구와 이야기해 보세요.

> 수지 씨, 뭐 할 거예요?　　날씨가 더워서 아이스크림을 먹을 거예요.

1)

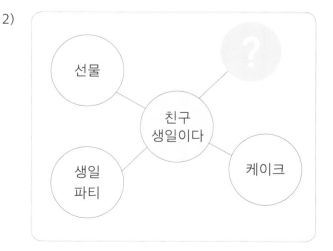

아이스크림 / 날씨가 덥다 / 반팔 티셔츠 / 수영장 / ?

2)

선물 / 친구 생일이다 / 생일 파티 / 케이크 / ?

새 어휘 | 반팔

가족 선물

1. 다음 글을 읽고 질문에 답하세요.

> 저는 요즘 카페에서 일을 해요. 어제 첫 월급을 받아서 이번 주말에 가족들 선물을 사러 갈 거예요. 아버지는 요즘 등산을 해요. 그래서 모자를 살 거예요. 어머니는 산책을 자주 해요. 그래서 운동화를 살 거예요.

1) 이 사람은 요즘 무엇을 해요?

2) 이 사람은 주말에 무엇을 할 거예요?

3) 아버지하고 어머니 선물을 무엇을 살 거예요?

2. 누구에게 무엇을 선물하고 싶어요? 여러분의 쇼핑 계획을 써 보세요.

누구	무엇을 선물해요?	왜 그것을 선물해요?

새 어휘 | 첫 / 월급 / 가족

기본 형용사

1. 어때요? 다음과 같이 알맞은 것에 ✔ 표시를 해 보세요.

☑ 싸요   ☐ 비싸요

1)
☐ 작아요   ☐ 커요

2)
☐ 좁아요   ☐ 넓어요

3)
☐ 짧아요   ☐ 길어요

4)
☐ 낮아요   ☐ 높아요

2. 다음에서 알맞은 것을 골라 다음과 같이 친구와 이야기해 보세요.

| 핸드폰 | 비싸다 |

핸드폰이 어때요?

아주 비싸요.

핸드폰	사과	운동화
산	자동차	의자
건물	교실	티셔츠
치마	바지	수박

크다	작다	편하다
높다	낮다	불편하다
좁다	싸다	비싸다
넓다	짧다	길다

새 어휘 | 산/자동차/건물

-(으)ㄴ | -습니다/ ㅂ니다 -습니까?/ ㅂ니까?

1. 다음과 같이 대화를 완성해 보세요.

| 작다 | 가방 |

손님, 뭘 찾으세요?

작은 가방을 사고 싶어요.

1) | 높다 | 건물 |

가 : 서울에 뭐가 많아요?
나 : _____ 이 많아요.

2) | 예쁘다 | 구두 |

가 : 생일에 무슨 선물을 받고 싶어요?
나 : _____ 를 받고 싶어요.

3) | 편하다 | 의자 |

가 : 뭘 살 거예요?
나 : _____ 를 살 거예요.

4) | 맛있다 | 비빔밥 |

가 : 뭘 먹고 싶어요?
나 : _____ 을 먹고 싶어요.

2. 친구에 대해서 무엇을 알고 싶어요? 다음과 같이 하나의 주제를 선택해서 친구를 인터뷰해 보세요.

| 계절 | 취미 | 쇼핑 | 주말 |

주노 : 안나 씨는 무슨 계절을 좋아합니까?
안나 : 저는 겨울을 좋아해요.
주노 : 왜 겨울을 좋아합니까?
안나 : 눈이 와서 좋아해요.
주노 : 겨울에 무엇을 합니까?
안나 : 스키장에 자주 가요. 그리고 눈사람도 만들어요.
주노 : 그러면 겨울에 무슨 음식을 자주 먹습니까?
안나 : 따뜻한 국을 자주 먹어요.

새 어휘 | 스키장 / 눈사람 / 그러면

마리 씨의 쇼핑

1. 마리 씨가 쇼핑을 해요. 다음을 잘 듣고 질문에 답하세요.

1) 여기는 어디예요?

① 　② 　③

2) 마리 씨는 무엇을 사고 싶어 해요?

2. 여기는 가게예요. 다음과 같이 친구와 이야기해 보세요.

어서 오세요. 뭘 찾으세요?

구두 좀 보여 주세요.

이 구두는 어떠세요?

좀 높아요. 더 낮은 구두는 없어요?

이건 어떠세요?

좋아요. 이거 주세요.

1) 　2) 　3) 　4)

한라전통시장

1. 다음 글을 읽고 질문에 답하세요.

우리 집 근처에 '한라전통시장'이 있습니다. '한라전통시장'에는 과일 가게하고 채소 가게가 있습니다. 그리고 예쁜 옷 가게, 신발 가게도 있습니다. '한라전통시장'에는 물건이 많습니다. 그리고 가격도 싸서 항상 사람들이 많습니다. 저는 과일하고 옷을 자주 삽니다.

　　1) 이 사람 집 근처에 무엇이 있어요?

　　2) '한라전통시장'에 왜 사람이 많아요?

　　3) 이 사람은 '한라전통시장'에서 무엇을 자주 사요?

2. 여러분 집 근처에 시장이 있어요? 그 시장에 대해 써 보세요.

새 어휘 | 전통 / 시장 / 항상

방향과 이동

1. 어떻게 가요? 알맞은 것에 ✔ 표시를 해 보세요.

1)

☐ 내려가요   ☐ 올라가요

2)

☐ 나가요   ☐ 들어가요

3)

☐ 돌아가요   ☐ 똑바로 가요

4)

☐ 지나요   ☐ 건너가요

2. 그림을 보고 친구와 이야기해 보세요.

식당

> 식당이 어디예요?

> 지하 1층에 있어요. 내려가세요.

1)  영화관

2)   편의점

3)  화장실

4)  공원

의문사 | (으)로

1. 다음과 같이 대화를 완성해 보세요.

뭘 먹고 싶어요?

잡채를 먹고 싶어요.

1)

가 : 오늘 ＿＿＿＿＿＿＿＿＿에 가요?
나 : 친구하고 축구장에 가요.

2)

가 : 약속이 ＿＿＿＿＿＿＿＿＿예요?
나 : 내일 두 시예요.

3)

가 : 동생이 ＿＿＿＿＿＿＿＿＿예요?
나 : 이 사람이 제 동생이에요.

4)

가 : 한국어를 ＿＿＿＿＿＿＿ 공부했어요?
나 : 여섯 달 공부했어요.

---

2. 그림을 보고 친구와 이야기해 보세요.

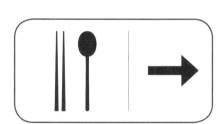

식당이 어디예요?

오른쪽으로 가세요.

1)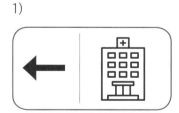

2)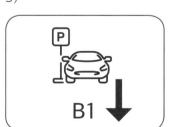

3)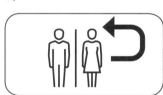

4)

새 어휘 | 축구장

경복궁

---

1. 안나 씨가 길을 물어요. 다음을 잘 듣고 질문에 답하세요.

   1) 안나 씨는 어디에 가요?

   ①    ②    ③

   2) 경복궁은 어디에 있어요?

   ① 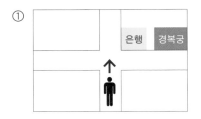   ②    ③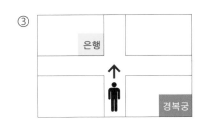

---

2. 어떻게 가요? 다음과 같이 친구와 이야기해 보세요.

오른쪽, 10분, 은행 옆

편의점이 어디에 있어요?

편의점이요? 여기에서 오른쪽으로 가세요.

얼마나 걸려요?

십 분 정도 걸려요. 은행 옆에 있어요.

1)    앞, 5분, 편의점 옆

2)    왼쪽, 15분, 지하철역 앞

3)   뒤, 5분, 병원 옆

4)   오른쪽, 10분, 학교 옆

새 어휘 | 실례 / 경복궁 / 감사하다 / 정도 / 지하철역

서울식당

1. 다음 글을 읽고 질문에 답하세요.

재민 씨

재민 씨, 안녕하세요?
이번 주 토요일이 제 생일이에요. 그래서 '서울식당'에서 생일 파티를 할 거예요.
식당은 세종학당 근처에 있어요. 세종학당에서 똑바로 가세요.
그러면 병원이 있어요. 그 병원 앞에서 길을 건너가세요.
그리고 왼쪽으로 조금 가세요. 그러면 '서울식당'이 있어요.
토요일에 꼭 오세요.

– 안나.

1) 안나 씨 생일이 언제예요?

2) '서울식당'은 어디에 있어요?

3) '서울식당'에 어떻게 가요?

2. 여러분은 무슨 파티를 하고 싶어요? 어디에서 하고 싶어요? 지도를 그리고 초대장을 써 보세요.

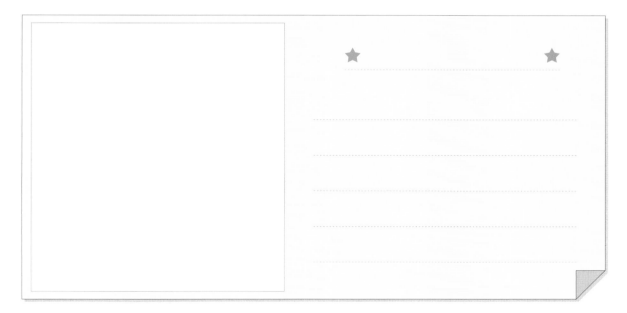

새 어휘 | 한식당/꼭

교통수단

1. 무엇을 타요? 알맞은 것을 연결해 보세요.

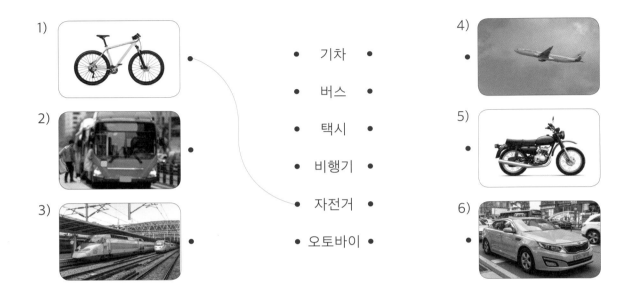

1)

2)

3)

- 기차 •
- 버스 •
- 택시 •
- 비행기 •
- 자전거 •
- 오토바이 •

4)

5)

6)

2. 그림을 보고 친구와 이야기해 보세요.

백화점에 어떻게 가요?

지하철을 타요.
그리고 버스로 갈아타요.

어디에 가요?

마트   ?
미술관   서울
시장   세종학당

어떻게 가요?

타요   갈아타요
운전해요   걸어서 가요

○에서 ○까지 | -아요/어요

1. 다음과 같이 대화를 완성해 보세요.

한국	➡	일본

> 한국에서 일본까지 **얼마나 걸려요?**
>
> 두 시간쯤 걸려요.

1)

서울	➡	부산

가 : _____ 얼마나 걸려요?
나 : 세 시간쯤 걸려요.

2)

베트남	➡	한국

가 : _____ 얼마나 걸려요?
나 : 다섯 시간쯤 걸려요.

3)

세종학당	➡	집

가 : _____ 어떻게 가요?
나 : 걸어서 가요.

4)

집	➡	?

가 : _____ 어떻게 가요?
나 : _____ .

2. 그림을 보고 친구와 이야기해 보세요.

> 내일 뭐 할까요?
>
> 같이 영화를 봐요.

1) 저녁에 뭘 먹을까요?

2) 우리 어디에 갈까요?

3) 언제 만날까요? 토요일

4) 뭘 타고 갈까요?

주말 약속

1. 주노 씨와 안나 씨가 약속을 해요. 다음을 잘 듣고 질문에 답하세요.

1) 두 사람은 무엇을 먹을 거예요?

①  ②  ③

2) 주노 씨는 세종학당까지 어떻게 가요?

---

2. 무슨 약속을 해요? 다음과 같이 친구와 이야기해 보세요.

> 우리 주말에 뭐 할까요?

> 같이 쇼핑해요.

> 좋아요. 그럼 어디에서 쇼핑할까요?

> 대한백화점은 어때요?
> 집에서 대한백화점까지 멀어요?

> 아니요. 안 멀어요.
> 버스를 타고 십 분쯤 걸려요.

> 그럼 토요일 두 시에 백화점 앞에서 만나요.

1)
```
영화를 보다
서울영화관
버스, 10분
토요일 3시
```

2)
```
놀이공원에 가다
두리놀이공원
지하철, 30분
일요일 오전 10시
```

3)
```
<나와 친구의 계획>
?
```

한국 여행

1. 다음 글을 읽고 질문에 답하세요.

저는 작년에 한국에 갔어요. 일본에서 인천공항까지 비행기를 탔어요. 세 시간이 걸렸어요. 인천공항에서 지하철을 타고 서울로 갔어요. 서울에서 명동과 인사동을 구경했어요. 삼일 후에는 부산에 갔어요. 서울역에서 부산까지 기차를 탔어요. 두 시간 반쯤 걸렸어요. 오래 걸려서 조금 힘들었어요. 하지만 부산에 가서 아주 좋았어요.

1) 이 사람은 어디에 갔어요?

2) 일본에서 인천공항까지 얼마나 걸렸어요?

3) 서울에서 무엇을 타고 부산에 갔어요?

2. 어디에 갔어요? 어떻게 갔어요? 얼마나 걸렸어요? 써 보세요.

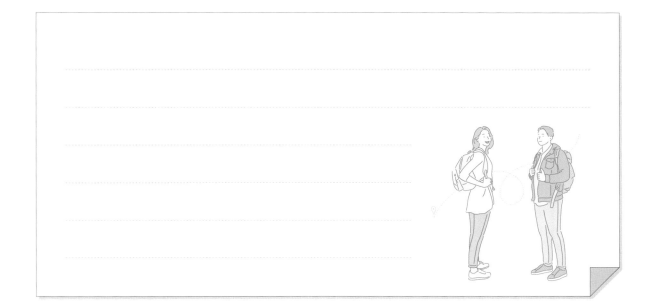

새 어휘 | 작년 / 반 / 오래 / 힘들다

여행 계획

1. 여행을 가요. 무엇을 해요? 알맞은 것을 연결해 보세요.

1) 등산을 •

2) 배를 •   • 해요

3) 비행기를 •

4) 낚시를 •   • 타요

5) 사진을 •

6) 쇼핑을 •   • 찍어요

2. 그림을 보고 친구와 이야기해 보세요.

(제주도)

> 어디로 여행을 가요?

> 제주도로 가요. 제주도에서 등산을 할 거예요.

1) 부산

2) 서울

3) 경주

4) ? ?

-(으)려고 하다 | -고

1. 그림을 보고 대화를 완성해 보세요.

오늘 오후에 뭐 할 거예요?

공원에서 산책하려고 해요.

1)

가 : 저녁에 뭐 할 거예요?

나 : _____.

2)

가 : 일요일에 운동할 거예요?

나 : 아니요. _____.

3)

가 : 토요일에 아르바이트해요?

나 : 아니요. _____.

4)

가 : 방학에 뭐 할 거예요?

나 : _____.

---

2. 친구들은 이번 주말에 무엇을 하려고 해요? 다음과 같이 친구와 이야기해 보세요.

마리 씨는 이번 토요일에 뭐 할 거예요?

청소를 하고 드라마도 보려고 해요.

	이름	토요일 계획
1)	마리	청소, 드라마
2)		
3)		
4)		

방학 계획

1. 안나 씨와 유진 씨가 방학 계획을 이야기해요. 다음을 잘 듣고 질문에 답하세요.
   01

   1) 안나 씨는 방학에 무엇을 할 거예요?

   ①  ②  ③

   2) 유진 씨는 방학에 무엇을 하려고 해요?

2. 친구들은 방학 / 휴가 때 무엇을 하려고 해요? 다음과 같이 친구와 이야기해 보세요.

   유진 씨는 방학 때 뭐 할 거예요?

   한국어 공부를 하고 아르바이트도 하려고 해요.

	이름	방학 / 휴가 계획
1)	유진	한국어 공부, 아르바이트
2)		
3)		
4)		

새 어휘 | 다음 / 와 / 남산 / 때

설악산 여행

1. 다음 글을 읽고 질문에 답하세요.

저는 방학에 한국에 갈 거예요. 한국에서 친구와 같이 설악산에 갈 거예요. 겨울 등산은 처음이에요. 저는 산 위에서 눈을 보고 싶어요. 예쁜 눈 사진도 찍으려고 해요. 그런데 저는 등산화도 없고 장갑도 없어요. 그래서 주말에는 쇼핑을 하려고 해요. 빨리 설악산에 가고 싶어요.

1) 이 사람은 방학 때 어디에 갈 거예요?

2) 이 사람은 거기에서 무엇을 하려고 해요?

3) 이 사람은 주말에 무엇을 사려고 해요?

2. 여러분이 방학 / 휴가 때 여행을 가요. 무엇을 준비할 거예요? 써 보세요.

새 어휘 | 처음 / 장갑

여행 경험

1. 무엇을 해요? 알맞은 것을 연결해 보세요.

1)

2)

3)

- 거리를 구경해요 •

- 박물관에 가요 •

- 공연을 봐요 •

- 축제에 가요 •

• 새로운 음식을 먹어요 •

- 한복을 입어요 •

4)

5)

6)

2. 그림을 보고 친구와 이야기해 보세요.

(인사동)

> 서울에서 뭐 했어요?

> 인사동에서 선물을 샀어요.

1)

(경복궁)

2)

(한강)

3)

(명동)

4)

(신촌)

새 어휘 | 신촌

-(으)ㄴ 후에 | 보다

1. 그림을 보고 대화를 완성해 보세요.

언제 아이스크림을 먹을 거예요?

밥을 먹은 후에
아이스크림을 먹을 거예요.

1)

가 : 언제 잘 거예요?
나 :
.

2)

가 : 이따가 설거지를 할 거예요?
나 : 네.
.

3)

가 : 언제 나갈 거예요?
나 :
.

4)

가 : 오늘 운동 안 할 거예요?
나 : 아니요.
.

2. 다음과 같이 친구와 이야기해 보세요.

구두가 더 좋아요? 운동화가 더 좋아요?

저는 구두보다 운동화가 더 좋아요.

운동화가 왜 더 좋아요?

편해서 좋아요.

	이름	나	친구 1	친구 2
1)	구두, 운동화	운동화, 편하다		
2)	버스, 지하철			
3)	샌드위치, 김밥			
4)				

새 어휘 | 샌드위치

여행 이야기

1. 재민 씨와 안나 씨가 여행 이야기를 해요. 다음을 잘 듣고 질문에 답하세요.

   1) 안나 씨는 무엇을 했어요? <u>모두</u> 고르세요.

   2) 안나 씨는 왜 시간이 없었어요?

2. 여러분의 여행은 어땠어요? 다음과 같이 친구와 이야기해 보세요.

저는 제주도에 갔어요. 바다에서 수영을 한 후에 산에 갔어요.
저는 수영보다 등산이 더 재미있었어요.

	이름	어디에 갔어요?	무엇을 했어요?	어땠어요?
1)	재민	제주도	수영, 등산	등산이 더 재미있었어요.
2)				
3)				
4)				

새 어휘 | 음

나의 여행

1. 다음 글을 읽고 질문에 답하세요.

> 저는 작년 여름에 바다로 여행을 갔습니다. 그런데 비가 많이 오고 바람도 많이 불어서 밖에 못 나갔습니다. 호텔 식당에서 밥을 먹은 후에는 방에서 계속 잤습니다. 너무 심심하고 재미가 없었습니다.
> 올해는 가을에 여행을 했습니다. 날씨도 안 덥고 사람도 없어서 아주 좋았습니다. 그래서 저는 여름보다 가을에 여행을 많이 하려고 합니다.

1) 이 사람은 작년에 어디에 갔어요?

2) 이 사람의 작년 여행은 어땠어요?

3) 이 사람은 무슨 계절에 여행을 하려고 해요?

2. 여러분은 어떤 여행이 힘들었어요? 여행 경험을 써 보세요.

새 어휘 | 계속 / 심심하다 / 재미 / 올해

신체와 증상

1. 어디가 아파요? 알맞은 것을 연결해 보세요.

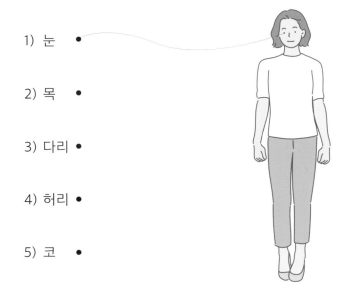

1) 눈 •
2) 목 •
3) 다리 •
4) 허리 •
5) 코 •

• 6) 귀
• 7) 머리
• 8) 배
• 9) 발
• 10) 손

2. 어디가 아파요? 어떻게 아파요? 그림을 보고 친구와 이야기해 보세요.

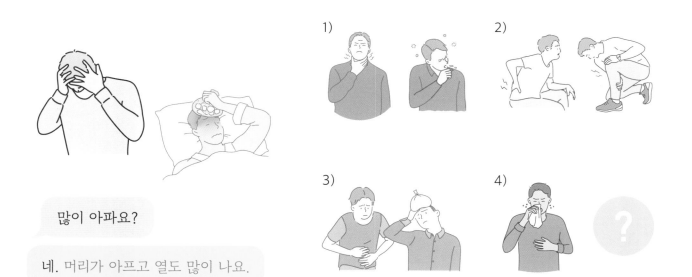

많이 아파요?

네. 머리가 아프고 열도 많이 나요.

1)

2)

3)

4)

-지만 │ -아야 / 어야 되다

1. 그림을 보고 대화를 완성해 보세요.

축구가 어때요?

힘들지만 재미있어요.

1)
가 : 날씨가 어때요?
나 : _____.

2)
가 : 옷을 안 사요?
나 : 네. _____.

3)
토요일 일요일
가 : 일요일에도 세종학당에 가요?
나 : 아니요. _____.
_____.

4)
불고기 갈비탕
가 : 고기를 안 먹어요?
나 : 아니요. _____.
_____.

2. 다음과 같이 친구와 이야기해 보세요.

기침을 많이 해요.

 약을 먹어야 돼요.

 집에서 푹 쉬어야 돼요.

 병원에 가야 돼요.

	어때요?	나	친구 1	친구 2
1)	기침을 많이 해요.			
2)	한국어를 잘하고 싶어요.			
3)	좋은 회사에 다니고 싶어요.			
4)				

새 어휘 │ 갈비탕 / 잘하다

재민 씨의 감기

1. 안나 씨와 재민 씨가 전화를 해요. 다음을 잘 듣고 질문에 답하세요.

   1) 재민 씨는 어떻게 아팠어요?

   ①   ②   ③

   2) 재민 씨는 지금 어때요?

2. 이 사람들은 어디가 아파요? 어떻게 해야 돼요? 그림을 보고 친구와 이야기해 보세요.

   재민 씨는 기침을 해요. 따뜻한 물을 많이 마셔야 돼요.

   1) 재민
   2) 주노
   3) 수지
   4) 마리

새 어휘 | 못하다

동생의 감기

1. 다음 글을 읽고 질문에 답하세요.

저는 동생하고 같이 살아요. 동생이 감기에 걸렸어요. 지난 주말부터 기침도 많이 하고 열이 많이 났어요. 그래서 오늘 아침에는 동생하고 같이 병원에 갔어요. 동생이 병원을 아주 무서워하지만 열이 계속 나서 병원에 갔어요. 동생은 병원에서 주사를 맞고 약국에 가서 약을 샀어요. 지금은 열이 없지만 약을 삼 일 더 먹어야 돼요.

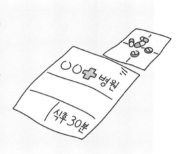

1) 동생은 어떻게 아팠어요?

2) 동생은 병원에서 무엇을 했어요?

3) 동생은 약을 얼마나 먹어야 돼요?

2. 여러분도 가족이 아파서 걱정했어요? 가족은 어디가 어떻게 아팠어요?
그래서 어떻게 했어요? 써 보세요.

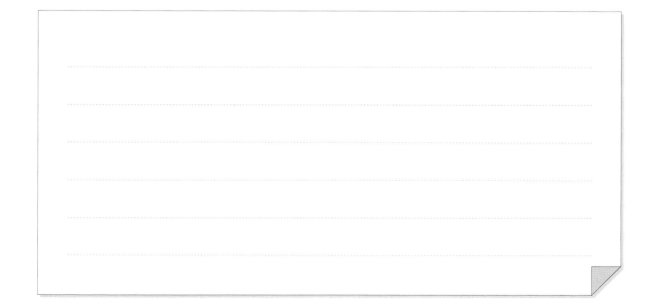

새 어휘 | 살다 / 무서워하다 / 주사 / 맞다

건강한 생활

1. 여러분의 좋은 습관을 찾아 다음과 같이 이야기해 보세요.

저는 일찍 일어나요.

일찍 아침을 운동해요 채소와 과일을 먹어요
일어나요 많이 매일 지켜요
웃어요 자요
자주 걸어요 잘 꼭 식사 시간을

2. 누구의 습관이에요? 다음과 같이 친구와 이야기해 보세요.

누가 일찍 일어나요? 재민 씨가 일찍 일어나요.

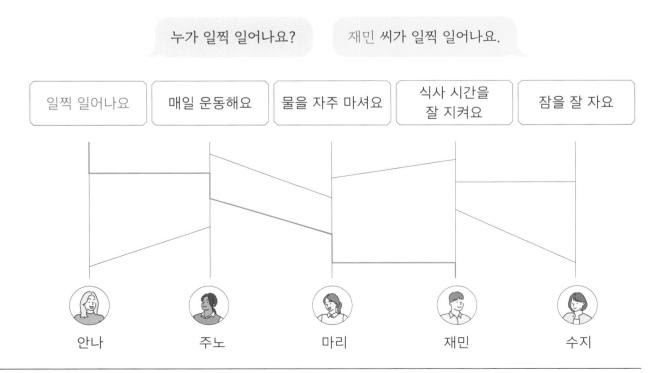

일찍 일어나요 | 매일 운동해요 | 물을 자주 마셔요 | 식사 시간을 잘 지켜요 | 잠을 잘 자요

안나 주노 마리 재민 수지

-기 전에 | -아서 / 어서

1. 알맞은 것을 연결하고 친구와 이야기해 보세요.

잠을 자기 전에 **뭐** 해요?

잠을 자기 전에 샤워를 해요.

1) 잠을 자다 •　　　　　• 창문을 닫다

　　　　　　　　　　• 샤워를 하다

2) 학교에 가다 •　　　　• 화장을 하다

　　　　　　　　　　• 음악을 듣다

3) 집에서 나가다 •　　　• 아침을 먹다

　　　　　　　　　　• 숙제를 하다

4) 친구를 만나다 •　　　• 컴퓨터를 끄다

2. 그림을 보고 '-아서/어서' 또는 '-고'를 사용하여 대화를 완성하세요.

주말에 뭐 했어요?

친구를 만나서 같이 쇼핑했어요.

1)

가 : 학교에 어떻게 와요?

나 : 지하철을 _____ 학교에 와요.

2)

가 : 어제 뭐 했어요?

나 : 한강공원에 _____ 친구하고 놀았어요.

3)

가 : 점심에 뭐 먹었어요?

나 : 샌드위치를 _____ 먹었어요.

4)

가 : 오후에는 뭐 할 거예요?

나 : 한국어 수업을 _____ 집에 갈 거예요.

새 어휘 | 닫다 / 화장 / 끄다

운동 습관

1. 수지 씨와 주노 씨가 길에서 만나서 이야기해요. 다음을 잘 듣고 질문에 답하세요.

01

1) 주노 씨는 지금 무엇을 하러 가요?

①    ②    ③

2) 수지 씨는 언제 운동을 해요?

① 아침   ② 점심   ③ 저녁   ④ 밤

2. 안나 씨는 어떤 좋은 습관이 있어요? 그림을 보고 이야기해 보세요.

안나 씨는 일찍 일어나요.

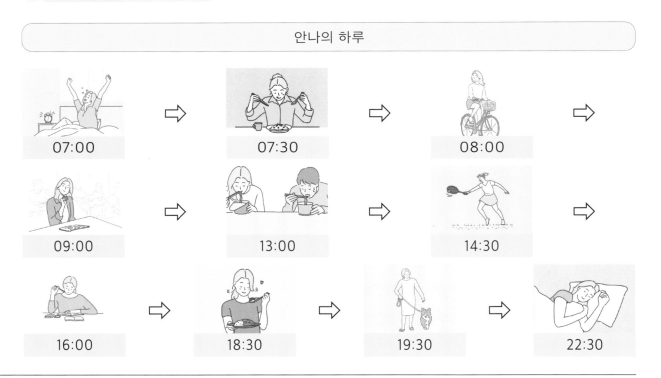

새 어휘 | 걷기 / 조깅

나의 생활 습관

1. 다음 글을 읽고 질문에 답하세요.

> 저는 보통 밤에 드라마를 많이 봐요. 아주 늦게 자요. 그래서 하루 종일 피곤해요.
> 수업 시간에도 잠이 와요. 제 습관을 바꾸고 싶어요. 오늘부터는 일찍
> 자고 일찍 일어날 거예요. 내일 아침에 일어나서 요가를 할 거예요.
> 그리고 자기 전에 드라마를 안 볼 거예요. 드라마는 주말에 볼
> 거예요.

1) 이 사람은 왜 늦게 자요?

2) 이 사람은 내일 아침에 무엇을 할 거예요?

3) 이 사람은 드라마를 언제 볼 거예요?

---

2. 건강을 위해 여러분은 무엇을 할 거예요? 써 보세요. 그리고 반 친구들에게 이야기해 보세요.

> 아침에 일어나서 요가를 할 거예요.

> 일찍 잘 거예요. 자기 전에
> 드라마를 안 볼 거예요.

새 어휘 | 종일 / 피곤하다 / 바꾸다

모임 준비

1. 모임을 준비할 때 무엇을 해야 돼요? 알맞은 순서를 써 보세요.

(   )   (1)   (   )   (   )

2. 학기 말에 우리 반 모임을 할 거예요. 누가 무엇을 준비해요? 다음과 같이 친구와 이야기해 보세요.

여러분, 우리 반 모임은 언제 할까요?

다음 주 토요일 저녁은 어때요?

네. 좋아요. 어디에서 모임을 할까요?

세종식당은 어때요?
학당에서 가깝고 맛도 좋아요.

세종식당이요? 그럼 누가 장소를
예약할 거예요?

제가 장소를 예약할 거예요.

질문	우리 반 모임	
모임은 언제예요?	토요일 저녁	
모임은 어디에서 해요?	세종식당	
누가 장소를 예약할 거예요?	나	

새 어휘 | 여러분

-(으)ㄹ 수 있다, 없다 | -고 있다

1. 그림을 보고 대화를 완성해 보세요.

안나 씨, 내일 모임에 올 수 있어요?

미안해요. 다른 약속이 있어서 모임에 갈 수 없어요.

1)

가 : 재민 씨, 지금 전화 받을 수 있어요?
나 : _____ .

2)

가 : 유진 씨, 같이 농구 할 수 있어요?
나 : _____ .

3)

가 : 주노 씨, 주말에 같이 쇼핑하러 갈까요?
나 : _____ .

4)

가 : 마리 씨, 우리 떡볶이 먹을까요?
나 : _____ .

2. 이 사람들은 무엇을 하고 있어요? 그림을 보고 이야기해 보세요.

주노 씨가 주스를 마시고 있어요.

1) 주노 2) 안나

3) 수지 4) 재민

5) 마리 6) 유진

반 모임

1. 유진 씨와 안나 씨가 전화를 해요. 다음을 잘 듣고 질문에 답하세요.

   1) 두 사람은 일요일에 무엇을 할 거예요?

   2) 안나 씨는 토요일에 무엇을 해야 돼요?

   ①

   ②

   ③

---

2. 여러분은 어떤 모임을 하고 싶어요? 모임을 준비할 때 누가 무엇을 할까요?
   다음과 같이 친구와 이야기해 보세요.

   유진 : 시험이 끝난 후에 반 모임을 할까요?
   안나 : 좋은 생각이에요.
   　　　시험이 끝난 후에 같이 저녁을 먹어요.
   유진 : 네. 그러면 모임 장소는 행복식당이 어때요?
   마리 : 좋아요. 행복식당은 학당에서 가깝고
   　　　음식도 맛있어요.
   안나 : 그래요? 제가 전화해서 장소를
   　　　예약할 수 있어요.
   마리 : 네. 안나 씨, 고마워요.

질문		
무슨 모임	반 모임	
모임 날짜	시험이 끝난 후	
모임 장소	행복식당	
장소 예약	안나	

새 어휘 | 되다 / 시험 / 생각

생일 파티

1. 다음 글을 읽고 질문에 답하세요.

지난주 목요일은 마리 씨의 생일이었어요. 안나 씨는 케이크를 준비하고 주노 씨는 식당을 예약했어요. 저와 마리 씨는 세종학당 앞에서 만나서 함께 식당에 갔어요. 친구들은 식당에서 우리를 기다리고 있었어요. 식당에서 우리는 밥을 먹고 생일 파티를 했어요. 친구들과 마리 씨의 생일을 축하할 수 있어서 정말 좋았어요.

1) 이 사람들은 어떤 모임을 했어요?

2) 누가 무엇을 준비했어요?

3) 그 모임은 어땠어요?

2. 여러분은 어떤 모임을 했어요? 누가 무엇을 준비했어요? 그 모임은 어땠어요? 써 보세요.

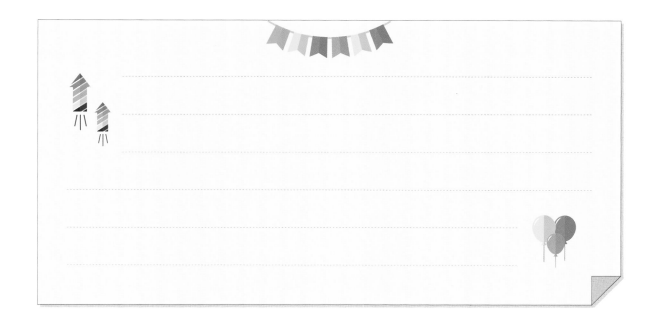

선물

1. 선물 어휘를 찾아 써 보세요. 우리 반에서 누가 제일 빨리 찾았어요?

영	교	지	선	이	핸	구	물
지	문	시	말	대	교	드	우
갑	주	과	계	고	주	장	폰
구	수	보	케	이	크	차	향
개	가	방	미	손	영	수	산
상	규	시	부	화	의	가	게
미	신	여	최	장	은	임	내
수	전	발	조	품	기	주	해

1)   시계

2)

3)

4)

5)

6)

7)

8)

9)

2. 여러분은 언제 무슨 선물을 했어요? 다음과 같이 친구와 이야기해 보세요.

재민 씨는 언제 선물을 했어요?

저는 친구 생일에 선물을 했어요.

그때 무슨 선물을 주었어요?

지갑을 주었어요.

	이름	언제 선물을 했어요?	무슨 선물을 주었어요?
1)	재민	친구 생일	지갑
2)	나		
3)	친구		
4)			

새 어휘 | 그때

에게, 한테 | -(으)니까

1. 그림을 보고 친구와 이야기해 보세요.

누나 → 동생

> 누나가 누구에게 모자를 주었어요?

> 누나가 동생한테 모자를 주었어요.

1)

마리 씨 → 수지 씨

2)

안나 씨 → 주노 씨

3)

재민 씨 → 형

4)

유진 씨 → 친구

2. 다음에서 알맞은 것을 골라 대화를 완성해 보세요.

☐ 운동을 좋아하다 ☐ 날씨가 춥다 ☐ 길이 막히다 ☐ 지금은 바쁘다 ☐ 토요일에는 약속이 있다

> 유진 씨 생일 선물은 뭐가 좋을까요?

> 유진 씨가 운동을 좋아하니까 운동화는 어때요?

1) 가 : 버스를 탈까요?
   나 : ＿＿＿＿＿＿＿＿＿＿ 우리 지하철을 타요.

2) 가 : 재민 씨, 잠시 이야기할 수 있어요?
   나 : 미안해요. ＿＿＿＿＿＿＿＿＿ 이따가 이야기해요.

3) 가 : 내일 이 옷을 입으려고 해요.
   나 : ＿＿＿＿＿＿＿＿＿ 좀 더 두꺼운 옷을 입으세요.

4) 가 : 마리 씨, 우리 이번 주말에 같이 영화를 봐요.
   나 : ＿＿＿＿＿＿＿＿＿
      일요일에 영화를 봐요.

새 어휘 | 막히다 / 이야기하다 / 두껍다

리사 씨의 선물

1. 유진 씨와 안나 씨가 선물을 준비해요. 다음을 잘 듣고 질문에 답하세요.

1) 두 사람은 리사 씨에게 왜 선물을 주려고 해요?

2) 유진 씨는 리사 씨에게 무슨 선물을 줄 거예요?

①  ②  ③

2. 여러분은 최근에 누구에게 어떤 선물을 했어요? 다음과 같이 친구와 이야기해 보세요.

안나 씨는 최근에 누구에게 선물했어요?

저는 친구한테 선물을 했어요.

친구한테 어떤 선물을 했어요?

친구가 농구를 좋아해서 운동화를 주었어요.

	이름	누구에게 선물했어요?	어떤 선물을 했어요?	왜 그 선물을 했어요?
1)	안나	친구	운동화	친구가 농구를 좋아해요.
2)	나			
3)				
4)				

새 어휘 | 모으다

주노 씨의 선물

1. 주노 씨의 글을 읽고 질문에 답하세요.

어제는 제 생일이었어요. 가족들과 친구들이 생일 선물을 많이 주었어요. 부모님은 저에게 용돈을 주었어요. 누나는 모자와 축하 카드를 주었어요. 세종학당 친구들은 축하 메시지를 많이 보냈어요. 유진 씨는 저에게 지갑을 선물했고, 안나 씨는 책을 선물했어요. 다음 주는 유진 씨 생일이니까 저도 선물을 준비하려고 해요.

1) 주노 씨는 왜 선물을 받았어요?

2) 세종학당 친구들은 주노 씨에게 무엇을 보냈어요?

3) 안나 씨는 주노 씨에게 무엇을 선물했어요?

2. 여러분은 생일에 어떤 선물을 받았어요? 누가 무슨 선물을 주었어요? 어땠어요? 써 보세요.

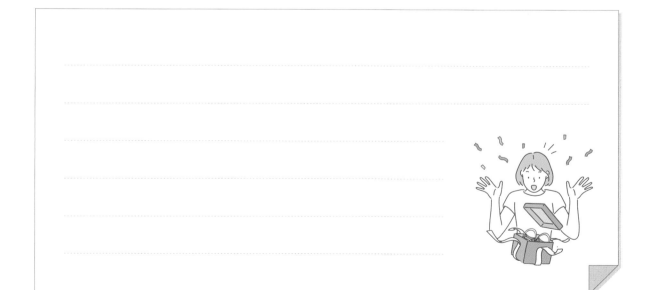

새 어휘 | 용돈

부록

듣기
지문

1B

유진: 저는 영화를 좋아해요. 주말에는 보통 영화를 보러 영화관에 가요.

03 🔊 백화점에서 쇼핑할 거예요

듣고 말하기 | 1번 | 16쪽

마리 씨와 주노 씨가 쇼핑 계획을 이야기해요. 다음을 잘 듣고 질문에 답하세요.

마리: 주노 씨, 주말에 뭐 할 거예요?
주노: 백화점에서 쇼핑할 거예요.
마리: 뭐 살 거예요?
주노: 요즘 친구들하고 축구를 해서 운동복을 살 거예요. 마리 씨도 같이 갈까요?
마리: 좋아요. 저도 옷을 좀 사고 싶어요.

04 🔊 더 큰 사이즈는 없어요?

듣고 말하기 | 1번 | 20쪽

마리 씨가 쇼핑을 해요. 다음을 잘 듣고 질문에 답하세요.

점원: 손님, 뭘 찾으세요?
마리: 편한 운동화를 사고 싶어요.
점원: 이 운동화는 어떠세요? 아주 편해서 손님들이 많이 찾습니다.
　　　(잠시 후)
점원: 어떠세요?
마리: 아주 편해요. 그런데 좀 커요. 더 작은 사이즈 있어요?
점원: 네. 여기 있습니다.
마리: 잘 맞아요. 이거 주세요.

01 🔊 무슨 음식을 좋아해요?

듣고 말하기 | 1번 | 8쪽

마리 씨와 주노 씨가 좋아하는 음식을 이야기해요. 다음을 잘 듣고 질문에 답하세요.

마리: 주노 씨는 어디에서 점심을 먹어요?
주노: 저는 한국 식당에 자주 가요.
마리: 무슨 음식을 제일 좋아해요?
주노: 저는 김치찌개를 제일 좋아해요. 마리 씨는 무슨 음식을 좋아해요?
마리: 저도 한국 음식을 좋아해요. 그런데 김치를 못 먹어요. 저는 불고기하고 냉면을 좋아해요.

05 🔊 세종식당이 어디에 있어요?

듣고 말하기 | 1번 | 24쪽

안나 씨가 길을 물어요. 다음을 잘 듣고 질문에 답하세요.

안나: 실례지만 경복궁이 어디예요?
행인: 여기에서 똑바로 가세요. 그러면 은행이 있을 거예요. 은행에서 오른쪽으로 가세요. 거기에 경복궁이 있어요.
안나: 감사합니다. 그런데 얼마나 걸려요?
행인: 10분쯤 걸려요.

02 🔊 도서관에 책을 빌리러 가요

듣고 말하기 | 1번 | 12쪽

유진 씨와 안나 씨가 취미에 대해 이야기해요. 다음을 잘 듣고 질문에 답하세요.

유진: 안나 씨는 취미가 뭐예요?
안나: 저는 음악을 좋아해요. 그래서 음악을 자주 들어요.
유진: 무슨 음악을 들어요?
안나: 저는 한국 노래를 자주 들어요. 유진 씨는 뭘 좋아해요?

06 🔊 한국미술관까지 어떻게 가요?

듣고 말하기 | 1번 | 28쪽

주노 씨와 안나 씨가 약속을 해요. 다음을 잘 듣고 질문에 답하세요.

주노: 안나 씨, 우리 토요일에 어디에서 만나요?
안나: 세종학당 근처가 어때요? 주노 씨 집에서 세종학당까지 멀어요?
주노: 아니요. 안 멀어요. 걸어서 10분쯤 걸려요.
안나: 좋아요. 그럼 세종학당 앞에서 만나요. 그런데 저녁은 뭘 먹을
       까요?
주노: 비빔밥 어때요?
안나: 좋아요. 우리 비빔밥 먹어요.

07 🔊 제주도에 가려고 해요

듣고 말하기 | 1번 | 32쪽

안나 씨와 유진 씨가 방학 계획을 이야기해요. 다음을 잘 듣고 질문
에 답하세요.

안나: 유진 씨, 저 다음 주에 서울에 가요.
유진: 와! 서울에서 뭐 할 거예요?
안나: 남산에도 가고 경복궁에도 가려고 해요.
유진: 한강에도 갈 거예요?
안나: 네. 한국 친구하고 같이 한강에서 배도 타고 자전거도 타려고
       해요. 유진 씨는 방학에 뭐 할 거예요?
유진: 저는 아르바이트를 하려고 해요. 한국어 공부도 하고요.

08 🔊 지난번 여행보다 좋았어요

듣고 말하기 | 1번 | 36쪽

재민 씨와 안나 씨가 여행 이야기를 해요. 다음을 잘 듣고 질문에 답
하세요.

재민: 안나 씨, 이번 여행 어땠어요?
안나: 음. 괜찮았어요.
재민: 구경 많이 했어요?
안나: 네. 많이 했어요. 박물관을 구경한 후에 거리 공연도 봤어요.
재민: 아, 그래요?
안나: 이번 여행은 지난번 여행보다 짧았어요. 그래서 시간이 없어서
       쇼핑은 못 했어요.

09 🔊 집에서 푹 쉬어야 돼요

듣고 말하기 | 1번 | 40쪽

안나 씨와 재민 씨가 전화를 해요. 다음을 잘 듣고 질문에 답하세요.

안나: 재민 씨, 몸은 어때요?
재민: 어제보다 좋아요. 기침은 좀 하지만 이제 열은 안 나요.
안나: 약은 계속 먹어요?
재민: 네. 약을 먹어서 계속 잠이 와요. 그래서 요즘 일을 잘 못 해요.
안나: 재민 씨, 지금은 많이 쉬어야 돼요.

10 🔊 학교에 가기 전에 수영을 해요

듣고 말하기 | 1번 | 44쪽

수지 씨와 주노 씨가 길에서 만나서 이야기해요. 다음을 잘 듣고 질
문에 답하세요.

수지: 주노 씨, 어디에 가요?
주노: 공원에 산책하러 가요.
수지: 매일 산책을 해요?
주노: 네. 저녁을 먹기 전에 한 시간 정도 산책을 해요. 걷기 운동이
       건강에 좋아요. 수지 씨도 운동을 자주 해요?
수지: 네. 저도 운동을 좋아해요. 저는 아침에 일어나서 요가를 하고
       조깅도 해요.

11 🔊 한국 음식을 만들 수 있어요?

듣고 말하기 | 1번 | 48쪽

유진 씨와 안나 씨가 전화를 해요. 다음을 잘 듣고 질문에 답하세요.

유진: 안나 씨, 토요일 저녁에 세종학당 친구들과 만나려고 해요. 모
       임에 올 수 있어요?
안나: 토요일이요? 저는 토요일에 요리를 배우고 있어요.
유진: 음. 일요일에는 시간이 어때요?
안나: 네. 일요일에는 시간이 돼요.
유진: 그럼 일요일에 모여요. 안나 씨, 우리 어디에서 모임을 할까요?
안나: 행복식당은 어때요? 거기 음식이 정말 맛있어요.
유진: 네. 좋아요. 식당은 안나 씨가 예약할 수 있어요?
안나: 네. 할 수 있어요.
유진: 고마워요.

듣고 말하기 | 1번 | 52쪽

유진 씨와 안나 씨가 선물을 준비해요. 다음을 잘 듣고 질문에 답하세요.

유진: 안나 씨, 리사 씨 결혼 선물 준비했어요?

안나: 네. 준비했어요.

유진: 안나 씨는 리사 씨한테 무슨 선물을 할 거예요?

안나: 저는 리사 씨한테 예쁜 그릇을 선물하려고 해요. 유진 씨는요?

유진: 저는 아직 준비를 못 했어요.

안나: 그럼 리사 씨가 인형을 모으니까 귀여운 인형은 어때요?

유진: 인형이요? 좋은 생각이에요. 고마워요.

듣고 말하기 | 1번 | 52쪽

모범 답안

1B

---

01 ✏️ 무슨 음식을 좋아해요?

어휘와 표현　1번　6쪽

불	나	면	장	미	국	면 김
밥	고	나	음	식	보	된 치
냉	로	기	면	비	빔	밥 찌
잡	소	문	집	한	음	아 개
채	라	선	떡	라	콜	이 우
동	비	김	볶	초	과	크 딸
카	밥	후	이	계	유	냉 라
갈	스	탕	장	림	일	스 면

2) 잡채　3) 김밥
4) 떡볶이　5) 비빔밥
6) 김치찌개　7) 냉면
8) 라면

어휘와 표현　2번　6쪽

[예시]
1) 비빔밥
나: 네. 비빔밥을 좋아해요
친구: 아니요. 저는 김치찌개를 좋아해요

2)
나: 어제 김밥을 먹었어요
친구: 어제 냉면을 먹었어요
3)
나: 저녁에 된장찌개를 먹고 싶어요
친구: 저녁에 떡볶이를 먹고 싶어요

문법　1번　7쪽

1) 가: 무슨 음식을 자주 먹어요?
　　나: 저는 라면을 자주 먹어요.
2) 가: 무슨 바지를 자주 입어요?
　　나: 저는 청바지를 자주 입어요.
3) 가: 무슨 그림을 자주 그려요?
　　나: 저는 꽃을 자주 그려요.
4) 가: 무슨 운동을 자주 해요?
　　나: 저는 수영을 자주 해요.

문법　2번　7쪽

[예시]
1) 컴퓨터 게임을 못해요.
2) 전화를 못 해요.
3) 운전을 못 해요.
4) 공부를 못 해요.

듣고 말하기　1번　8쪽

1) ①, ③
2) ④

듣고 말하기　2번　8쪽

[예시]
1) 햄버거
2) 농구
3) 동물, 고양이

읽고 쓰기　1번　9쪽

1) 한국 사람들은 밥, 국, 반찬을 함께 먹어요.
2) 밥은 왼쪽에 놓고 국은 오른쪽에 놓아요.
3) 반찬은 밥과 국 앞에 놓아요.

읽고 쓰기　2번　9쪽

[예시]
　미국 사람들은 저녁에 빵과 고기, 샐러드를 자주 먹습니다. 포크와 나이프, 숟가락을 사용합니다. 보통 빵과 샐러드는 식탁 가운데에 놓습니다. 포크는 그릇 왼쪽에 놓습니다. 그리고 나이프와 숟가락은

그릇 오른쪽에 놓습니다.

듣고 말하기　1번　12쪽

1) 한국 노래
2) ②

듣고 말하기　2번　12쪽

[예시]
가: 수지 씨는 주말에 보통 뭘 해요?
나: 저는 영화를 좋아해요. 그래서 주말에 영화를 자주 봐요.
가: 어디에서 영화를 봐요?
나: 영화를 보러 영화관에 가요.

읽고 쓰기　1번　13쪽

1) 같이 축구를 해요.
2) 매주 일요일에 만나요.
3) 세종운동장에서 만나요.

읽고 쓰기　2번　13쪽

[예시]

한국 음식을 만들까요?
• 날짜 : 매주 금요일
• 시간 : 저녁 7시 ~ 9시
• 장소 : 세종학당 문화 수업 교실
• 활동 : 한국 음식을 만들어요.

 02 ✏ 도서관에 책을 빌리러 가요

어휘와 표현　1번　10쪽

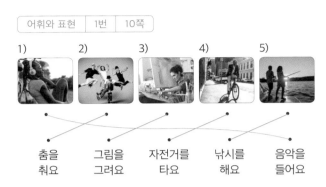

1)　2)　3)　4)　5)

춤을　그림을　자전거를　낚시를　음악을
춰요　그려요　타요　해요　들어요

어휘와 표현　2번　10쪽

[예시]
1)
나: 어제 자전거를 탔어요.
친구: 어제 낚시를 했어요.
2)
나: 그림을 그렸어요.
친구: 음악을 들었어요.
3)
나: 네. 축구를 좋아해요.
친구: 아니요. 운동을 안 좋아해요.
4)
나: 네. 케이팝(K-POP)을 자주 들어요.
친구: 아니요. 음악을 잘 안 들어요.

문법　1번　11쪽

1) 가: 어디에 가요?
　 나: 친구하고 운동을 하러 가요.
2) 가: 어디에 가요?
　 나: 친구하고 게임을 하러 가요.
3) 가: 어디에 가요?
　 나: 친구하고 쇼핑을 하러 가요.
4) 가: 어디에 가요?
　 나: 친구하고 콘서트를 보러 가요.

문법　2번　11쪽

1) 고양이가, 새도
2) 나무가, 꽃도
3) 유진 씨가, 수지 씨도
4) 빵을, 커피도

03 ✏ 백화점에서 쇼핑할 거예요

어휘와 표현　1번　14쪽

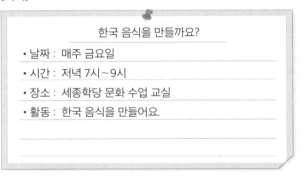

1)　2)　3)　4)

정장　치마　운동복　청바지　티셔츠

어휘와 표현　2번　14쪽

[예시]
가: 주노 씨는 뭘 입었어요?
나: 운동복을 입었어요. 그리고 모자를 썼어요.
가: 주노 씨는 뭘 신었어요?
나: 운동화를 신었어요.

문법 | 1번 | 15쪽

1) 케이팝(K-POP)을 좋아해서
2) 음식이 맛있어서
3) 비가 와서
4) 일이 많아서

문법 | 2번 | 15쪽

1) 가: 주말에 뭐 할 거예요?
   나: 영화관에서 영화를 볼 거예요.
2) 가: 주말에 뭐 할 거예요?
   나: 카페에서 친구를 만날 거예요.
3) 가: 주말에 뭐 할 거예요?
   나: 공원에서 운동을 할 거예요.
4) [예시]
   가: 주말에 뭐 할 거예요?
   나: 수영장에서 수영을 할 거예요.

듣고 말하기 | 1번 | 16쪽

1) ③
2) ②

듣고 말하기 | 2번 | 16쪽

1) [예시 1]
   가: 수지 씨, 뭐 할 거예요?
   나: 날씨가 더워서 수영장에 갈 거예요.
   [예시 2]
   가: 수지 씨, 뭐 입을 거예요?
   나: 날씨가 더워서 반팔 티셔츠를 입을 거예요.
   [예시 3]
   가: 수지 씨, 뭐 마실 거예요?
   나: 날씨가 더워서 시원한 주스를 마실 거예요.
2) [예시 1]
   가: 수지 씨, 뭐 할 거예요?
   나: 친구 생일이어서 생일 파티를 할 거예요.
   [예시 2]
   가: 수지 씨, 뭐 살 거예요?
   나: 친구 생일이어서 케이크를 살 거예요.
   [예시 3]
   가: 수지 씨, 뭐 살 거예요?
   나: 친구 생일이어서 선물을 살 거예요.
   [예시 4]
   가: 수지 씨, 뭐 할 거예요?
   나: 친구 생일이어서 같이 저녁 식사를 할 거예요.

읽고 쓰기 | 1번 | 17쪽

1) 이 사람은 요즘 카페에서 일을 해요.
2) 이 사람은 주말에 가족들 선물을 사러 갈 거예요.
3) 이 사람은 모자하고 운동화를 살 거예요.

읽고 쓰기 | 2번 | 17쪽

[예시]

다음 주에 형과 동생의 생일이 있어요. 그래서 오늘 생일 선물을 사러 갈 거예요. 형은 요즘 테니스를 자주 쳐요. 그래서 운동복을 살 거예요. 동생은 독서를 좋아해요. 그래서 책을 살 거예요.

04 ✎ 더 큰 사이즈는 없어요?

어휘와 표현 | 1번 | 18쪽

1) 작아요
2) 넓어요
3) 짧아요
4) 높아요

어휘와 표현 | 2번 | 18쪽

[예시 1]
가: 산이 어때요?
나: 아주 높아요.
[예시 2]
가: 의자가 어때요?
나: 조금 불편해요.

문법 | 1번 | 19쪽

1) 높은 건물
2) 예쁜 구두
3) 편한 의자
4) 맛있는 비빔밥

문법 | 2번 | 19쪽

[예시]
재인: 주노 씨는 취미가 무엇입니까?
주노: 제 취미는 요리입니다.
재인: 보통 언제 요리를 합니까?
주노: 주말에 요리를 합니다.
재인: 무슨 요리를 자주 합니까?
주노: 한국 음식을 자주 만듭니다.
재인: 그러면 어디에서 한국 요리를 배웠습니까?
주노: 인터넷에서 한국 요리를 배웠습니다.

1) ②

2) 마리 씨는 편한 운동화를 사고 싶어 해요.

1) 가: 어서 오세요. 뭘 찾으세요?

　　나: 청바지 좀 보여 주세요.

　　가: 이 바지는 어떠세요?

　　나: 좀 길어요. 더 짧은 바지는 없어요?

　　가: 이건 어떠세요?

　　나: 좋아요. 이거 주세요.

2) 가: 어서 오세요. 뭘 찾으세요?

　　나: 모자 좀 보여 주세요.

　　가: 이 모자는 어떠세요?

　　나: 좀 커요. 더 작은 모자는 없어요?

　　가: 이건 어떠세요?

　　나: 좋아요. 이거 주세요.

3) 가: 어서 오세요. 뭘 찾으세요?

　　나: 운동화 좀 보여 주세요.

　　가: 이 운동화는 어떠세요?

　　나: 좀 불편해요. 더 편한 운동화는 없어요?

　　가: 이건 어떠세요?

　　나: 좋아요. 이거 주세요.

4) [예시]

　　가: 어서 오세요. 뭘 찾으세요?

　　나: 티셔츠 좀 보여 주세요.

　　가: 이 티셔츠는 어떠세요?

　　나: 좀 작아요. 더 큰 티셔츠는 없어요?

　　가: 이건 어떠세요?

　　나: 좋아요. 이거 주세요.

1) 이 사람 집 근처에 '한라전통시장'이 있어요.

2) '한라전통시장'에 물건이 많아요. 그리고 가격도 싸요.

3) 이 사람은 '한라전통시장'에서 과일하고 옷을 자주 사요.

[예시]

　　우리 집 근처에 '누리시장'이 있습니다. '누리시장'에는 채소 가게
하고 생선 가게가 있습니다. 그리고 반찬 가게도 있습니다. '누리시
장'에는 싼 물건이 많습니다. 그리고 맛있는 식당도 많아서 항상 사
람들이 많이 옵니다. 저는 채소하고 반찬을 자주 삽니다.

05 ✏️　세종식당이 어디에 있어요?

1) 내려가요

2) 나가요

3) 똑바로 가요

4) 건너가요

1) 가: 영화관이 어디예요?

　　나: 3층에 있어요. 올라가세요.

2) 가: 편의점이 어디예요?

　　나: 밖에 있어요. 나가세요.

3) 가: 화장실이 어디예요?

　　나: 안에 있어요. 들어가세요.

4) 가: 공원이 어디예요?

　　나: 뒤에 있어요. 돌아가세요.

1) 어디

2) 언제

3) 누구

4) 얼마나

1) 가: 병원이 어디예요?

　　나: 왼쪽으로 가세요.

2) 가: 화장실이 어디예요?

　　나: 뒤로 돌아가세요.

3) 가: 주차장이 어디예요?

　　나: 아래로 내려가세요.

4) 가: 카페가 어디예요?

　　나: 3층으로 올라가세요.

1) ③

2) ①

1) 가: 화장실이 어디에 있어요?

　　나: 화장실이요? 여기에서 앞으로 가세요.

　　가: 얼마나 걸려요?

　　나: 오 분 정도 걸려요. 편의점 옆에 있어요.

2) 가: 공원이 어디에 있어요?

나: 공원이요? 여기에서 왼쪽으로 가세요.

가: 얼마나 걸려요?

나: 십오 분 정도 걸려요. 지하철역 앞에 있어요.

3) 가: 마트가 어디에 있어요?

나: 마트요? 여기에서 뒤로 돌아가세요.

가: 얼마나 걸려요?

나: 오 분 정도 걸려요. 병원 옆에 있어요.

4) 가: 지하철역이 어디에 있어요?

나: 지하철역이요? 여기에서 오른쪽으로 가세요.

가: 얼마나 걸려요?

나: 십 분 정도 걸려요. 학교 옆에 있어요.

읽고 쓰기 | 1번 | 25쪽

1) 안나 씨 생일이 이번 주 토요일이에요.

2) '서울식당'은 세종학당 근처에 있어요.

3) 세종학당에서 똑바로 가요. 그러면 병원이 있어요. 그 병원 앞에서 길을 건너요. 그리고 왼쪽으로 조금 가요. 그러면 '서울식당'이 있어요.

읽고 쓰기 | 2번 | 25쪽

[예시]

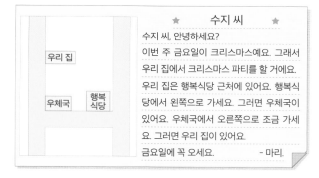

★ 수지 씨 ★

수지 씨, 안녕하세요?

이번 주 금요일이 크리스마스예요. 그래서 우리 집에서 크리스마스 파티를 할 거예요. 우리 집은 행복식당 근처에 있어요. 행복식당에서 왼쪽으로 가세요. 그러면 우체국이 있어요. 우체국에서 오른쪽으로 조금 가세요. 그러면 우리 집이 있어요.

금요일에 꼭 오세요.   - 마리.

06 ✏️ 한국미술관까지 어떻게 가요?

어휘와 표현 | 1번 | 26쪽

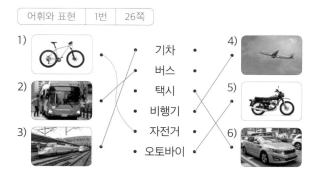

1)
2)
3)

기차
버스
택시
비행기
자전거
오토바이

4)
5)
6)

어휘와 표현 | 2번 | 26쪽

[예시 1]

가: 마트에 어떻게 가요?

나: 걸어서 가요.

[예시 2]

가: 부산에 어떻게 가요?

나: 기차를 타고 가요.

문법 | 1번 | 27쪽

1) 서울에서 부산까지

2) 베트남에서 한국까지

3) 세종학당에서 집까지

4) [예시]

가: 집에서 영화관까지

나: 지하철을 타고 가요

문법 | 2번 | 27쪽

1) 가: 저녁에 뭘 먹을까요?

나: 불고기를 먹어요.

2) 가: 우리 어디에 갈까요?

나: 바다에 가요.

3) 가: 언제 만날까요?

나: 토요일에 만나요.

4) 가: 뭘 타고 갈까요?

나: 버스를 타고 가요.

듣고 말하기 | 1번 | 28쪽

1) ①

2) 주노 씨는 세종학당까지 걸어서 가요.

듣고 말하기 | 2번 | 28쪽

1) 가: 우리 주말에 뭐 할까요?

나: 같이 영화를 봐요.

가: 좋아요. 그럼 어디에서 영화를 볼까요?

나: 서울영화관은 어때요? 집에서 서울영화관까지 멀어요?

가: 아니요. 안 멀어요. 버스를 타고 십 분쯤 걸려요.

나: 그럼 토요일 세 시에 영화관 앞에서 만나요.

2) 가: 우리 주말에 뭐 할까요?

나: 같이 놀이공원에 가요.

가: 좋아요. 그럼 어느 놀이공원에 갈까요?

나: 두리놀이공원은 어때요? 집에서 두리놀이공원까지 멀어요?

가: 아니요. 안 멀어요. 지하철을 타고 삼십 분쯤 걸려요.

나: 그럼 일요일 오전 열 시에 놀이공원 앞에서 만나요.

3) [예시]

가: 우리 주말에 뭐 할까요?

나: 같이 저녁을 먹어요.

가: 좋아요. 그럼 어디에서 저녁을 먹을까요?

나: 세종식당은 어때요? 집에서 세종식당까지 멀어요?

가: 아니요. 안 멀어요. 걸어서 십 분쯤 걸려요.
나: 그럼 토요일 저녁 여섯 시에 식당 앞에서 만나요.

읽고 쓰기 | 1번 | 29쪽

1) 이 사람은 서울하고 부산에 갔어요.
2) 일본에서 인천공항까지 세 시간 걸렸어요.
3) 서울에서 부산까지 기차를 타고 갔어요.

읽고 쓰기 | 2번 | 29쪽

[예시]

　저는 이번 주말에 제주도에 갔어요. 집에서 김포공항까지 버스를 탔어요. 삼십 분이 걸렸어요. 김포공항에서 비행기를 타고 제주도로 갔어요. 한 시간쯤 걸렸어요. 시간이 오래 안 걸려서 힘들지 않았어요. 그리고 제주도 여행이 정말 재미있었어요.

07 제주도에 가려고 해요

어휘와 표현 | 1번 | 30쪽

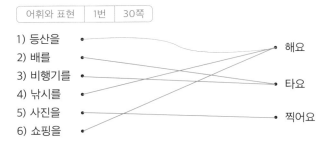

1) 등산을
2) 배를
3) 비행기를　　　　　　　　　　　해요
4) 낚시를
5) 사진을　　　　　　　　　　　　타요
6) 쇼핑을　　　　　　　　　　　　찍어요

어휘와 표현 | 2번 | 30쪽

1) 가: 어디로 여행을 가요?
　　나: 부산으로 가요. 부산에서 낚시를 할 거예요.
2) 가: 어디로 여행을 가요?
　　나: 서울로 가요. 서울에서 맛집에 갈 거예요.
3) 가: 어디로 여행을 가요?
　　나: 경주로 가요. 경주에서 박물관에 갈 거예요.
4) [예시]
　　가: 어디로 여행을 가요?
　　나: 춘천으로 가요. 춘천에서 닭갈비를 먹을 거예요.

문법 | 1번 | 31쪽

1) 영화관에서 영화를 보려고 해요
2) 집에서 쉬려고 해요
3) 친구를 만나려고 해요
4) 여행을 가려고 해요

문법 | 2번 | 31쪽

2) [예시]
　　가: 유진 씨는 이번 일요일에 뭐 할 거예요?
　　나: 게임을 하고 영화도 보려고 해요.

듣고 말하기 | 1번 | 32쪽

1) ②
2) 유진 씨는 아르바이트를 하고 한국어 공부도 하려고 해요.

듣고 말하기 | 2번 | 32쪽

2) [예시]
　　가: 마리 씨는 휴가 때 뭐 할 거예요?
　　나: 여행을 하고 친구도 만나려고 해요.

읽고 쓰기 | 1번 | 33쪽

1) 이 사람은 방학 때 설악산에 갈 거예요.
2) 이 사람은 산 위에서 눈을 보고 예쁜 눈 사진도 찍으려고 해요.
3) 이 사람은 등산화하고 장갑을 사려고 해요.

읽고 쓰기 | 2번 | 33쪽

[예시]

　저는 휴가 때 부산에 갈 거예요. 한국 여행은 처음이에요. 부산에서 수영하고 낚시를 하고 싶어요. 그리고 맛집에도 가려고 해요. 그런데 저는 여권이 없어요. 그래서 다음 주에 여권을 만들려고 해요. 빨리 부산에 가고 싶어요.

08 지난번 여행보다 좋았어요

어휘와 표현 | 1번 | 34쪽

1)　　　　　　　　　　　　　　　　4)
　　　　　　　거리를 구경해요
　　　　　　　박물관에 가요
2)　　　　　　　공연을 봐요　　　　5)
　　　　　　　축제에 가요
　　　　　　　새로운 음식을 먹어요
3)　　　　　　　한복을 입어요　　　6)

어휘와 표현 | 2번 | 34쪽

1) 가: 서울에서 뭐 했어요?
　　나: 경복궁에서 한복을 입었어요.
2) 가: 서울에서 뭐 했어요?

나: 한강에서 배를 탔어요.

3) 가: 서울에서 뭐 했어요?

　　나: 명동에서 거리 구경을 했어요.

4) 가: 서울에서 뭐 했어요?

　　나: 신촌에서 공연을 봤어요.

문법　1번　35쪽

1) 드라마를 본 후에 잘 거예요

2) 요리한 후에 설거지를 할 거예요

3) 일을 한 후에 나갈 거예요

4) 책을 읽은 후에 운동할 거예요

문법　2번　35쪽

[예시]

2) 가: 버스가 더 좋아요? 지하철이 더 좋아요?

　　나: 저는 지하철보다 버스가 더 좋아요.

　　가: 버스가 왜 더 좋아요?

　　나: 버스 정류장이 집에서 가까워서 좋아요.

3) 가: 샌드위치가 더 좋아요? 김밥이 더 좋아요?

　　나: 저는 김밥이 더 좋아요.

　　가: 김밥이 왜 더 좋아요?

　　나: 김밥이 더 맛있어서 좋아요.

4) 가: 축구가 더 좋아요? 농구가 더 좋아요?

　　나: 저는 농구가 더 좋아요.

　　가: 농구가 왜 더 좋아요?

　　나: 농구를 더 잘해서 좋아요.

듣고 말하기　1번　36쪽

1) ①, ③

2) 지난번 여행보다 짧아서 시간이 없었어요.

듣고 말하기　2번　36쪽

[예시]

2) 저는 서울에 갔어요. 명동에서 쇼핑을 한 후에 한강에서 배를 탔어요. 저는 명동보다 한강이 더 재미있었어요.

읽고 쓰기　1번　37쪽

1) 이 사람은 작년에 바다에 갔어요.

2) 이 사람의 작년 여행은 너무 심심하고 재미가 없었어요.

3) 이 사람은 가을에 여행을 하려고 해요.

읽고 쓰기　2번　37쪽

[예시]

　아침에는 날씨가 좋았습니다. 그런데 열두 시부터 비가 많이 왔습

니다. 아침에 날씨가 좋아서 저는 우산을 준비 안 했습니다. 그래서 등산을 못 하고 산에서 내려왔습니다. 호텔에서 샤워한 후 텔레비전을 봤습니다. 다음 날 아침에도 비가 많이 와서 구경을 못 했습니다. 오후에 집에 왔습니다. 이번 여행은 너무 심심하고 재미없었습니다.

09 집에서 푹 쉬어야 돼요

어휘와 표현　1번　38쪽

1) 눈　　　　　　　　　　　　　　6) 귀

2) 목　　　　　　　　　　　　　　7) 머리

3) 다리　　　　　　　　　　　　　8) 배

4) 허리　　　　　　　　　　　　　9) 발

5) 코　　　　　　　　　　　　　10) 손

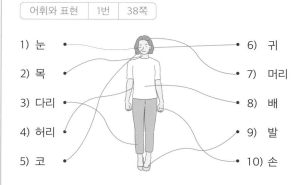

어휘와 표현　2번　38쪽

1) 가: 많이 아파요?

　　나: 네. 목이 아프고 기침도 해요.

2) 가: 많이 아파요?

　　나: 네. 허리가 아프고 다리도 아파요.

3) 가: 많이 아파요?

　　나: 네. 배가 아프고 열도 나요.

4) [예시]

　　가: 많이 아파요?

　　나: 네. 콧물이 나고 머리도 아파요.

문법　1번　39쪽

1) 맑지만 더워요

2) 예쁘지만 비싸요

3) 토요일에는 가지만 일요일에는 안 가요

4) 불고기는 먹지만 갈비탕은 안 먹어요

문법　2번　39쪽

2) 가: 한국어를 잘하고 싶어요.

　　나: 한국 사람하고 이야기를 많이 해야 돼요.

3) 가: 좋은 회사에 다니고 싶어요.

　　나: 한국어를 잘해야 돼요.

4) [예시]

　　가: 해외여행을 가고 싶어요.

　　나: 여권을 만들어야 돼요.

듣고 말하기　1번　40쪽

1) ③

2) 기침은 좀 하지만 이제 열은 안 나요.

듣고 말하기　2번　40쪽

2) 주노 씨는 배가 아파요. 음식을 안 먹어야 돼요.

3) 수지 씨는 눈이 아파요. 눈에 약을 넣어야 돼요.

4) 마리 씨는 열이 나요. 집에서 푹 쉬어야 돼요.

읽고 쓰기　1번　41쪽

1) 동생은 감기에 걸려서 기침도 많이 하고 열이 많이 났어요.

2) 동생은 병원에서 주사를 맞았어요.

3) 동생은 약을 삼 일 더 먹어야 돼요.

읽고 쓰기　1번　41쪽

[예시]

　저는 언니하고 같이 살아요. 이번 주말 저녁에 언니가 생선 초밥을 먹었어요. 그런데 언니가 밤부터 배가 많이 아프고 열도 났어요. 약을 먹었지만 계속 아팠어요. 그래서 다음 날 아침에 언니하고 같이 병원에 갔어요. 언니는 병원에서 주사를 맞았어요. 그리고 약을 먹고 집에서 푹 쉬었어요.

10 학교에 가기 전에 수영을 해요

어휘와 표현　1번　42쪽

[예시]

저는 자주 걸어요.　　　　　저는 많이 웃어요.

저는 매일 운동해요.　　　　저는 아침을 먹어요.

저는 잘 자요.　　　　　　　저는 식사 시간을 꼭 지켜요.

저는 채소와 과일을 먹어요.

어휘와 표현　2번　42쪽

가: 누가 매일 운동해요?

나: 안나 씨가 매일 운동해요.

가: 누가 물을 자주 마셔요?

나: 마리 씨가 물을 자주 마셔요.

가: 누가 식사 시간을 잘 지켜요?

나: 주노 씨가 식사 시간을 잘 지켜요.

가: 누가 잠을 잘 자요?

나: 수지 씨가 잠을 잘 자요.

문법　1번　43쪽

[예시]

2) 가: 학교에 가기 전에 뭐 해요?

　　나: 학교에 가기 전에 아침을 먹어요.

3) 가: 집에서 나가기 전에 뭐 해요?

　　나: 집에서 나가기 전에 창문을 닫아요.

4) 가: 친구를 만나기 전에 뭐 해요?

　　나: 친구를 만나기 전에 화장을 해요.

문법　2번　43쪽

1) 타고

2) 가서

3) 사서

4) 듣고

듣고 말하기　1번　44쪽

1) ③

2) ①

듣고 말하기　2번　44쪽

[예시]

　안나 씨는 아침을 꼭 먹어요. 안나 씨는 학교까지 자전거를 타고 가요. 안나 씨는 오후에 테니스를 쳐요. 안나 씨는 저녁에 산책을 해요. 안나 씨는 일찍 잠을 자요.

읽고 쓰기　1번　45쪽

1) 이 사람은 밤에 드라마를 많이 봐요.

2) 이 사람은 내일 아침에 요가를 할 거예요.

3) 이 사람은 주말에 드라마를 볼 거예요.

읽고 쓰기　2번　45쪽

[예시]

　저는 요즘 운동을 잘 안 해요. 그리고 아침을 안 먹어요. 그래서 요즘 건강이 조금 안 좋아요. 이제부터 제 습관을 바꾸고 싶어요. 아침에 일찍 일어나서 많이 걷고 아침도 꼭 먹을 거예요. 아침에는 채소와 과일을 많이 먹을 거예요. 그리고 퇴근한 후에 헬스클럽에 갈 거예요. 주말에는 친구하고 테니스도 칠 거예요.

어휘와 표현 ┃ 1번 ┃ 46쪽

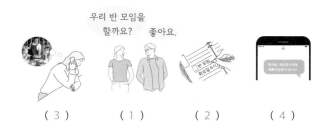

우리 반 모임을
할까요?   좋아요.

(3)   (1)   (2)   (4)

어휘와 표현 ┃ 2번 ┃ 46쪽

[예시]

가: 여러분, 우리 반 모임은 언제 할까요?

나: 다음 주 일요일 저녁 일곱 시는 어때요?

가: 네. 좋아요. 어디에서 모임을 할까요?

나: 하나식당은 어때요? 음식이 맛있고 가격도 싸요.

가: 하나식당이요? 그럼 누가 장소를 예약할 거예요?

나: 제가 장소를 예약할 거예요.

문법 ┃ 1번 ┃ 47쪽

1) 미안해요. 회의가 있어서 전화 받을 수 없어요

2) 미안해요. 팔을 다쳐서 농구 할 수 없어요

3) 미안해요. 일이 많아서 쇼핑하러 갈 수 없어요

4) 미안해요. 떡볶이는 매워서 먹을 수 없어요

문법 ┃ 2번 ┃ 47쪽

2) 안나 씨가 샌드위치를 먹고 있어요.

3) 수지 씨가 전화를 하고 있어요.

4) 재민 씨가 컴퓨터를 하고 있어요.

5) 마리 씨가 숙제를 하고 있어요.

6) 유진 씨가 책을 읽고 있어요.

듣고 말하기 ┃ 1번 ┃ 48쪽

1) 두 사람은 일요일에 세종학당 친구들과 만날 거에요.

2) ①

듣고 말하기 ┃ 2번 ┃ 48쪽

[예시]

가: 지니 씨 졸업 축하 모임을 할까요?

나: 좋은 생각이에요. 다음 주 금요일 저녁에 해요.

가: 네. 그러면 모임 장소는 세종식당이 어때요?

나: 좋아요. 세종식당은 유명한 맛집이어서 사람들이 많이 가요.

가: 그래요? 제가 전화해서 식당을 예약할 수 있어요.

나: 네. 유진 씨, 고마워요.

읽고 쓰기 ┃ 1번 ┃ 49쪽

1) 이 사람들은 마리 씨의 생일 파티를 했어요.

2) 안나 씨는 케이크를 준비하고 주노 씨는 식당을 예약했어요.

3) 친구들과 마리 씨의 생일을 축하할 수 있어서 정말 좋았어요.

읽고 쓰기 ┃ 2번 ┃ 49쪽

[예시]

지난주 월요일에 독서 모임을 했어요. 모임을 하기 전에 마리 씨와 저는 읽고 싶은 책을 정했어요. 안나 씨는 모임 장소를 정했어요. 우리는 토요일에 카페에서 모였어요. 그리고 책을 읽고 같이 이야기를 했어요. 책 이야기를 할 수 있어서 정말 재미있었어요. 모임이 끝난 후에 우리는 근처 식당에서 저녁을 먹었어요. 맛있는 음식을 먹어서 좋았어요.

12 🖉 저는 지니 씨에게 펜을 선물할 거예요

어휘와 표현 ┃ 1번 ┃ 50쪽

영	교	지	선	이	핸	구	물
지	문	시	말	대	교	드	우
갑	주	과	계	고	주	장	폰
구	수	보	케	이	크	차	향
개	가	방	미	손	영	수	산
상	규	시	부	화	의	가	게
미	신	여	최	장	은	임	내
수	전	발	조	품	기	주	해

2) 지갑   3) 가방

4) 신발   5) 화장품

6) 게임기   7) 향수

8) 케이크   9) 핸드폰

어휘와 표현 ┃ 2번 ┃ 50쪽

[예시]

가: 안나 씨는 언제 선물을 했어요?

나: 저는 동생 입학식에 선물을 했어요.

가: 그때 무슨 선물을 주었어요?

나: 가방을 주었어요.

문법 ┃ 1번 ┃ 51쪽

1) 가: 마리 씨가 누구에게 책을 주었어요?

　　나: 마리 씨가 수지 씨한테 책을 주었어요.

2) 가: 안나 씨가 누구에게 꽃을 주었어요?

　　나: 안나 씨가 주노 씨한테 꽃을 주었어요.

3) 가: 재민 씨가 누구에게 핸드폰을 주었어요?

　　나: 재민 씨가 형한테 핸드폰을 주었어요.

4) 가: 유진 씨가 누구에게 커피를 주었어요?

　　나: 유진 씨가 친구한테 커피를 주었어요.

문법 ｜ 2번 ｜ 51쪽

1) 길이 막히니까

2) 지금은 바쁘니까

3) 날씨가 추우니까

4) 토요일에는 약속이 있으니까

듣고 말하기 ｜ 1번 ｜ 52쪽

1) 리사 씨가 결혼을 해서 두 사람은 선물을 주려고 해요.

2) ③

듣고 말하기 ｜ 2번 ｜ 52쪽

[예시]

가: 유진 씨는 최근에 누구에게 선물했어요?

나: 저는 동생한테 선물을 했어요.

가: 동생한테 어떤 선물을 했어요?

나: 동생이 게임을 좋아해서 게임기를 주었어요.

읽고 쓰기 ｜ 1번 ｜ 53쪽

1) 어제는 주노 씨의 생일이었어요.

2) 세종학당 친구들은 주노 씨에게 축하 메시지를 많이 보냈어요.

3) 안나 씨는 주노 씨에게 책을 선물했어요.

읽고 쓰기 ｜ 2번 ｜ 53쪽

[예시]

　제 생일은 8월 27일이에요. 작년에는 학당 근처 식당에서 친구들과 생일 파티를 했어요. 친구들이 생일 선물을 준비해서 주었어요. 마리 씨는 운동화를 주었고 주노 씨는 티셔츠를 주었어요. 안나 씨는 생일 파티에 못 왔지만 케이크를 만들어서 보냈어요. 케이크가 예쁘고 맛있었어요. 생일에 친구들의 축하를 많이 받을 수 있어서 기분이 좋았어요. 친구들에게 정말 고마웠어요.

어휘와 표현 색인 ─ 1B

자료
출처
─── 1B

※ 이 교재는 산돌폰트 외 Ryu 고운한글돋움OTF, Ryu 고운한글바탕 OTF 등을 사용하여 제작되었습니다. Ryu 고운한글돋움OTF, Ryu 고 운한글바탕OTF 서체는 서체 디자이너 류양희 님에게서 제공 받았습 니다.

※ 강승희, 곽명주, 박가을, 이재영, 정원교 작가와 함께 작업했습니다.

| 게티이미지코리아 |

2과 10쪽_1번 1)   5과 23쪽_1번 1); 24쪽_1번 1)②   6과 26쪽_1번 2)/3)/4)/6); 27쪽_2번 4)상; 29쪽_1번   8과 34쪽_2번 (보기)/2) /3)/4)

| 셔터스톡 |

스피커 아이콘
말풍선
문서 아이콘
연필 아이콘

1과 6쪽; 7쪽_1번 (보기)/1)/3)/4), 2번; 8쪽; 9쪽_2번   2과 10쪽_1번 2)/3)/4)/5), 2번; 11쪽_1번; 12쪽; 13쪽   3과 14쪽_1번; 15쪽_1번 (보 기)/2)/3)/4), 2번; 16쪽; 17쪽   4과 20쪽_2번   5과 22쪽; 23쪽_1번 (보기)/2)/3)/4), 2번; 24쪽_1번 1)①/③, 2), 2번; 25쪽   6과 26쪽_1번 1)/5), 2번; 27쪽_2번 1)상/2)상; 28쪽; 29쪽_2번   7과 30쪽; 31쪽_1 번 (보기)/1)/2)/4), 2번; 32쪽_1번 1)①/③, 2번; 33쪽   8과 34쪽_1번 1)/2)/3)/4), 2번_1); 35쪽; 36쪽_1번; 37쪽   9과 38쪽_1번, 2번 (보기) 좌/1)/2)/3)/4); 39쪽_1번 (보기)/1)/2)/3), 2번; 40쪽   10과 43쪽_2 번 (보기)우/1)/3)/4); 44쪽_1번 1)③, 2번; 45쪽   11과 46쪽; 47쪽_1번 (보기)/1)/3)/4); 48쪽; 49쪽   12과 50쪽; 52쪽; 53쪽   부록 55쪽; 71쪽

메모

세종한국어 | 더하기 활동 1B

기획	국립국어원	박미영 학예연구사
	국립국어원	조 은 학예연구사
집필	책임 집필	이정희 경희대학교 국제교육원 교수
	공동 집필	장미정 고려대학교 교양교육원 조교수
		김은애 서울대학교 언어교육원 대우교수
		천민지 한양대학교 국제교육원 교육전담교수
		김지혜 경희대학교 국제교육원 한국어 강사
	집필 보조	문진숙 경희대학교 국어국문학과 박사수료
		한재민 경희대학교 국어국문학과 박사수료
		정성호 경희대학교 국어국문학과 박사수료
		서유리 경희대학교 국어국문학과 박사과정

발행　국립국어원

주소: (07511) 서울특별시 강서구 금낭화로 154

전화: +82(0)2-2669-9775

전송: +82(0)2-2669-9727

누리집: www.korean.go.kr

초판 1쇄 발행　　2022년 9월 1일

초판 2쇄 발행　　2024년 5월 3일

편집 • 제작　공앤박 주식회사

주소: (05116) 서울특별시 광진구 광나루로56길 85, 프라임센터 3411호

전화: +82(0)2-565-1531

전송: +82(0)2-6499-1801

누리집: www.kongnpark.com / www.BooksOnKorea.com (구매)

총괄	공경용
편집	이유진, 김세훈, 이진덕, 여인영, 김령희, 성수정, 최은정, 함소연
영문 편집	Sung A. Jung, Paulina Zolta, Kassandra Lefrancois-Brossard
디자인	오진경, 서은아, 이종우, 이승희
삽화	강승희, 곽명주, 박가을, 이재영, 정원교
관리·제작	공일석, 최진호
IT 자료	손대철
마케팅	윤성호

ISBN 978-89-97134-51-9 (14710)

ISBN 978-89-97134-21-2 (세트)